CARNET DE L'ENFER

LA RAGE DES LÉGUMES CARNIVORES

TROY CUMMINGS

Texte français d'Isabelle Allard

Éditions
SCHOLASTIC

TABLE DES MATIÈRES

Pour Lisa, la meilleure sœur de tout le comté.

Merci, Katie Carella et Liz Herzog, de m'avoir aidé à planter le décor, à défricher le texte et à extirper les mauvaises idées afin de récolter de terribles monstres feuillus.

Catalogage avant publication de Bibliothèque et Archives Canada

Cummings, Troy
[Chomp of the meat-eating vegetables. Français]
    La rage des légumes carnivores / Troy Cummings, auteur et illustrateur ; texte français d'Isabelle Allard.

(Carnet de l'enfer ; 4)
Traduction de: Chomp of the meat-eating vegetables.
ISBN 978-1-4431-6449-8 (couverture souple)

I. Titre. II. Titre: Chomp of the meat-eating vegetables. Français.

PZ23.C853Ra 2017   j813'.6   C2017-903337-9

Édition publiée par les Éditions Scholastic, 604, rue King Ouest, Toronto (Ontario) M5V 1E1 CANADA.

5 4 3 2 1   Imprimé au Canada 121   17 18 19 20 21

Conception graphique de Liz Herzog

MIXTE
Papier issu de
sources responsables
FSC® C004071

CHAPITRE 1

L'ASSAUT DU PORTEMANTEAU

Le père d'Alexandre enfile un tablier et annonce :

— J'ai une surprise pour toi!

Le garçon regarde son père trancher du céleri.

— Est-ce que ça a un rapport avec les légumes?

— Plus ou moins, répond son père. Tu disais que la nourriture était bizarre à l'école, alors j'ai décidé de préparer moi-même tes repas de midi.

Alexandre pense aux repas étranges servis à l'école primaire de Clermont.

Jointures de poulet — une étoile

Choix du chef — aucune étoile

Taco surprise — moins deux étoiles

— Merci, papa, dit-il en souriant.

— Débarrasse la table du déjeuner pendant que je termine ça.

En allant ranger le lait, Alexandre remarque une affiche sur la porte du frigo.

Venez vous régaler à l'école de Clermont

Souper au chili

Où — Votre **NOUVELLE** école (toujours en construction)

Pourquoi — Amasser des fonds pour terminer le chantier

Quand — Vendredi soir

Les enfants seront les serveurs!
Des enfants au service des adultes!

— Hé, c'est
super! dit
Alexandre. Ce souper a l'air...
Il s'interrompt.
Quelque chose lui
paraît... anormal. Il
regarde autour de lui.
*Le portemanteau! Il
n'était pas là hier!*
pense-t-il. Il semble
s'incliner vers
son père.

Certaines personnes peuvent passer devant un nouveau portemanteau et ne rien en penser. Mais pas Alexandre Moreau. Depuis qu'il a déménagé à Clermont, il a appris deux choses :

1. Sa nouvelle ville est remplie de monstres.
2. Les objets de tous les jours (comme les portemanteaux!) peuvent se révéler monstrueux.

Alexandre s'avance vers le portemanteau sur la pointe des pieds... *Des chapeaux et des manteaux? Un déguisement parfait!* se dit-il. *Une minute! Pour être certain, je vais vérifier dans le carnet.*

Il sort un vieux carnet de son sac à dos et l'ouvre. Il a trouvé ce cahier rempli de dessins de monstres lors de sa première journée à Clermont.

Bonhomme bâton

Monstre super mince qui se déguise en mât de drapeau, canne à pêche, bâton de marche, etc.

HABITAT Pièces à haut plafond

ALIMENTATION Bœuf séché et caramels aux bananes, entortillés comme une corde.

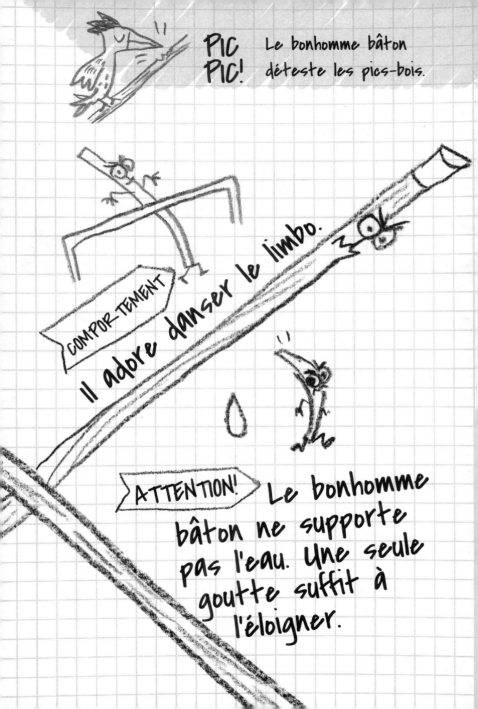

PIC PIC! Le bonhomme bâton déteste les pics-bois.

COMPORTEMENT

Il adore danser le limbo.

ATTENTION! Le bonhomme bâton ne supporte pas l'eau. Une seule goutte suffit à l'éloigner.

— Allez, mon gars! Il est temps de...

Le père d'Alexandre se retourne. Il voit son fils bondir du comptoir sur le portemanteau, un torchon mouillé à la main, en poussant un cri de guerre.

Le garçon atterrit sur le dos dans une pile de manteaux. Le portemanteau est toujours debout.

— Ah! Tu as remarqué le nouveau portemanteau! dit son père en l'aidant à se relever. Je l'ai acheté hier en faisant des courses... tiens!

Il lui tend une boîte-repas neuve bien remplie.

— Merci, papa.

— De rien, dit son père avec un clin d'œil. Allez, vas-y, maintenant. Je ramasserai les manteaux.

CHAPITRE 2

RIC ET CLARA

Alexandre
descend les marches
en sautillant.

Une fille vêtue d'un chandail à capuchon lui fait
signe sur le trottoir.

— Salut, Salamandre!

Salamandre est le surnom d'Alexandre. Son
enseignant l'a appelé ainsi le jour de son arrivée à
l'école, et ce nom lui est resté.

— Bonjour, Nikki!

Il se dirige vers elle en balançant sa nouvelle

boîte-repas.

Nikki se penche et chuchote :

— As-tu des nouvelles concernant la P.S.A.M.?

P.S.A.M. signifie Patrouille Secrète Anti Monstres. C'est un groupe de jeunes qui ont juré de protéger Clermont des monstres. Alexandre et Nikki sont deux des trois membres de la patrouille.

— Non, répond-il. Je pensais qu'il y avait un monstre dans ma cuisine, mais c'était juste un portemanteau.

Nikki hoche la tête.

— On ne sait jamais à quel moment une grosse créature horrible va surgir.

— Hé, les minus! crie une voix. Attendez-moi!

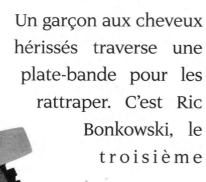

Un garçon aux cheveux hérissés traverse une plate-bande pour les rattraper. C'est Ric Bonkowski, le troisième membre de la P.S.A.M.

— Regardez ce qui m'est arrivé! s'écrie-t-il.

Il brandit une planche à roulettes brisée. Les quatre roues ont été écrabouillées.

— L'as-tu lancée du haut d'un immeuble? demande Nikki.

— Quoi? Non! répond Ric. Quelque chose de super lourd a dû l'écraser sur le trottoir. Je m'étais juste arrêté quelques secondes pour la nourrir.

Alexandre hausse un sourcil :

— Nourrir qui?

Ric sort un radis de sa poche. Il est couvert de marques de dents.

— Clara de Clermont, marmonne-t-il.

Clara de Clermont

— La marmotte? Celle qui s'est cachée dans son terrier quand les ombres sombres ont envahi Clermont? demande Alexandre.

— Oui, dit Ric dont les joues sont plus rouges que le radis. Ces ombres ont vraiment effrayé Clara! Je passe chaque matin au parc Dubois pour lui apporter une collation. Elle a besoin d'un... euh...

— D'un ami? suggère Nikki. Dis donc, Ric, essaierais-tu d'être gentil avec quelqu'un?

Elle sourit et le soleil se reflète sur son appareil dentaire.

— Quoi?! Non! Clara est juste une marmotte! proteste-t-il en lui lançant son radis. De toute façon, l'important c'est ma planche écrasée. Qui a pu faire une chose aussi méchante?

— Peut-être quelqu'un qui n'aime pas les marmottes, dit Alexandre en riant. Bon, allons-y.

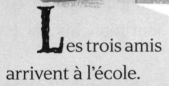

Les trois amis arrivent à l'école.

— Chaque fois que j'entre dans cette école, dit Alex, j'ai l'impression qu'on va me prendre la température.

— C'est vrai, réplique Ric. C'est bizarre que notre école soit un ancien hôpital.

— Quels bébés! lance Nikki. De toute façon, la nouvelle école est presque terminée. C'est pour cette raison que la directrice a organisé le souper au chili...

BONG! Elle heurte les portes coulissantes de plein fouet. Elles ne se sont pas ouvertes comme d'habitude.

— Les portes sont gelées! s'exclame Alexandre.

Avec un grognement, Ric tire sur les portes pour les forcer à s'ouvrir. Une bouffée d'air glacé lui parvient au visage.

Les trois jeunes peuvent voir leur haleine en entrant dans l'école. Les murs sont blanchis par le givre.

— Prenez un manteau! crie un grand homme vêtu d'une parka.

Il distribue des vêtements provenant des objets perdus.

— Monsieur Horace, pourquoi fait-il si froid ici? demande Alexandre.

M. Horace est le secrétaire, le prof de gym, le chauffeur d'autobus et l'infirmier de l'école. C'est également un ancien membre de la P.S.A.M., même s'il ne veut pas en parler.

— Je n'en suis pas certain, répond l'homme en lui tendant un chandail et des lunettes de ski.

Alexandre remarque des glaçons qui pendent du plafond. Il sort le carnet.

— Hum... Ce paysage hivernal est sûrement l'œuvre d'un monstre! Peut-être une souris glacée, une chèvre des neiges ou même un zombiver!

— Hé! s'écrie M. Horace en frissonnant. Range ce carnet tout de suite!

Il donne une veste rembourrée à Nikki.

— Je ne pense pas que ce froid ait un lien avec des monstres, dit Nikki. Regardez! Le climatiseur doit être déréglé.

Un drôle d'homme muni d'un coffre à outils se dirige vers l'ascenseur. Il porte un masque de ski noir et une salopette sur laquelle on peut lire « Climatisation ».

— *Brrrr!* s'exclame Ric. Passez-moi un manteau!

— Oh! dit M. Horace. Il n'en reste qu'un.

Il lui lance un habit de neige en peluche noir et blanc.

— Je ne vais pas porter ça! proteste Ric, furieux.

— Richard Bonkowski! déclare une voix glaciale.

La température semble s'abaisser de quelques degrés supplémentaires à l'arrivée d'une femme à la mine sévère.

— Euh, bonjour, Madame Vanderrière, dit Ric.

— La climatisation est peut-être réglée au maximum, dit-elle, mais je ne laisserai pas mes élèves attraper froid. Tu *dois* t'habiller chaudement.

Ric regarde Alex qui hausse les épaules. Nikki pouffe de rire.

— Bon, finit par dire Ric.

Il enfile l'habit et remonte la fermeture éclair.

— Parfait, dit la directrice. Tu es maintenant un panda en peluche très mignon. Allez en classe, tous les trois!

Ric a envie de grogner, mais cela le rendrait juste encore plus mignon.

CHAPITRE 4
PLEURS EN CHŒUR

Alexandre avait craint de ne pas pouvoir s'habituer à aller en classe dans une morgue, une pièce au sous-sol d'un hôpital où l'on garde les cadavres. Mais après des semaines à combattre des monstres, une pièce froide sans fenêtres ne l'impressionne plus.

Il ouvre la lourde porte.

— Au moins, M. Blanquette aime blaguer, dit-il à ses copains. Imaginez à quel point cette classe serait sinistre si...

— Ouiiiiinnn! se lamente leur enseignant assis sur son bureau, le visage dans les mains. Bouh-hou! Assieds-toi, Alexandre.

Ce dernier ajuste ses lunettes. Tous les élèves sanglotent, même Ric et Nikki.

— Ça va? leur demande-t-il. Mais... quelle est cette odeur?

— Va t'asseoir, minus! réplique Ric entre deux sanglots en s'asseyant.

Alexandre suit Nikki jusqu'à leur table. Elle pleure comme un bébé.

Pourquoi pleurent-ils? Il doit y avoir un monstre là-dessous! se dit Alexandre.

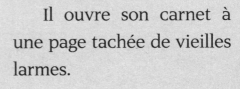

Il ouvre son carnet à une page tachée de vieilles larmes.

vilain canard

Couac-couac, sauve-toi!

| HABITAT | Bains chauds |
| ALIMENTATION | Enfants crasseux |

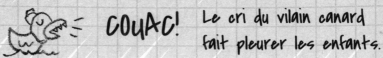
COUAC! Le cri du vilain canard fait pleurer les enfants.

COMPORTEMENT Le vilain canard flotte à côté des autres jouets pour le bain en attendant qu'on l'écrabouille.

ATTENTION! Ne l'écrabouille pas si tu ne veux pas être sa victime. Pour survivre, ne prends jamais de bain.

Alexandre referme le carnet.

— Eh bien, ce ne sont pas les vilains canards qui nous font pleurer, dit-il à Nikki. On les trouve seulement dans les baignoires. Il fait si froid ici que mes lunettes de ski sont embuées!

Il pousse une exclamation. *Mes lunettes!* Il les retire. Aussitôt, ses yeux commencent à piquer. Des larmes coulent sur ses joues. Il s'empresse de remettre les lunettes.

POUÊT! M. Blanquette se mouche.

— Comme vous allez servir les adultes durant le repas au chili de vendredi, nous allons passer la semaine à réviser les bonnes manières à table. Vous allez apprendre à devenir des serveurs polis.

Les élèves pleurent de plus belle.

Cette odeur... pense Alexandre en se frottant le nez. *Je la reconnais!*

— Nikki! Je connais cette odeur! Ça sent les oignons!

CHAPITRE
5 DESSERTS AU MENU

Dans l'ascenseur,
à l'heure du dîner,
Alexandre crie à
ses amis :

— Yé! C'est
l'heure de manger!

Il sort de l'ascenseur et se précipite dans la cafétéria glaciale.

Ric s'essuie les yeux avec sa mitaine de panda.

— Pourquoi cours-tu, Salamandre? Il n'y a que des trucs dégueus au menu.

— Je suis prêt! réplique Alexandre en brandissant sa boîte-repas.

— Bien vu, dit Nikki.

MENU

LUNDI	HARICOTS REFRITS
MARDI	POMMES DE TERRE CUITES DEUX FOIS
MERCREDI	HARICOTS RE-REFRITS
JEUDI	POMMES DE TERRE CUITES TROIS FOIS
VENDREDI	HARICOTS OU POMMES DE TERRE RE-RE-REFRITS ET TROP CUITS (DUR À DIRE)

Ils s'approchent du menu.

— Oh, désolé pour vous, dit Alexandre. J'espère que vous pourrez avaler vos haricots re-re-refrits pendant que je mange mon repas dé-dé-délicieux!

La porte de la cuisine s'ouvre. Un chef au long torse et aux jambes courtes sort avec une éponge mouillée à la main.

— Qui est-ce? demande Alexandre. Ce n'est pas l'un des cuisiniers habituels.

— Comment le savoir? Il est tout emmitouflé, répond Nikki.

Le garçon hausse les épaules.

Le chef essuie le tableau, puis écrit :

MENU

BAR À
COUPES
GLACÉES

Alexandre reste bouche bée.

En effet, il y a plusieurs seaux de crème glacée, ainsi que des dizaines de garnitures différentes, sous un écriteau annonçant : **SERVEZ-VOUS!**

CHOCO-AMANDES   CITRON   TOURBILLON
DE CARAMEL   CHO

— YOUPI! s'écrie
Ric en tapant dans
la main de Nikki. Trouve une
table, Salamandre! On doit aller se
chercher un dessert!

Alexandre s'approche d'une table
et ouvre sa boîte-repas.

Cabinet dentaire
Moreau

Hé, Alex!
M. Lapin te souhaite
bon appétit!

XOXO
Papa

Sous la note se trouve un sandwich au beurre
d'arachide avec des carottes et des branches de
céleri. On dirait un lapin.

Alexandre croque une carotte. Puis il frissonne, mais pas à cause du froid. Le chef le dévisage d'un air menaçant. Alex avale sa salive.

Le chef se cache derrière un comptoir en voyant arriver une dame de la cafétéria. Elle lit le nouveau menu, hausse les épaules et remplit le contenant de vermicelles de chocolat.

BOUM! La table tressaute lorsque Ric y dépose sa montagne de crème glacée.

— Aucun repas ne peut battre *ça!* s'exclame Ric en brandissant sa cuillère.

Puis il se met à manger. Nikki s'assoit avec sa coupe glacée.

— Quelque chose ne tourne pas rond, dit Alexandre. L'école super froide? L'odeur d'oignons? Un nouveau chef? Et de la crème glacée pour dîner?

— Tu es simplement fâché d'avoir apporté ton repas le jour où il y a de la crème glacée! rétorque Nikki.

MUNCH! MUNCH! Elle avale le reste de son dessert en répandant de la sauce aux fraises partout.

— Belles manières, espèce de monstre! lance Ric.

Il ne blague pas. Nikki est *réellement* un monstre

Les vampitures ont des crocs.

Ils peuvent voir dans le noir.

Ils aiment manger ce qui est rouge et juteux.

Ils attrapent facilement des coups de soleil.

appelé vampiture.

Alexandre et Ric ont été surpris d'apprendre que Nikki était un monstre. Mais finalement, leur amie est une fille plutôt ordinaire.

Elle adresse un sourire dégoulinant à Alexandre.

— Comment sont tes légumes?

— Très bons, répond-il en croquant un morceau de céleri.

CROUNCH!

CHAPITRE 6
UN VRAI CORNICHON!

Le lendemain, l'école primaire de Clermont est encore plus froide.

— Salut, Salamandre, dit Nikki.

Ric et elle l'attendent, tout emmitouflés, près de la porte de la classe.

— Salut, répond Alexandre.

L'odeur d'oignons s'est dissipée, mais il ajuste ses lunettes par précaution.

— Ouf! s'exclame Ric en se frottant le ventre. J'ai exagéré avec la crème glacée, hier. La prochaine fois, je vais m'arrêter à onze boules.

— J'espère que le menu d'aujourd'hui sera revenu à la normale, réplique Alexandre.

M. Blanquette arrive d'un pas guilleret.

— Allez vous asseoir! Le cours d'aujourd'hui porte sur les fourchettes! Pour être de bons serveurs demain, vous devez bien connaître votre argenterie.

— *Peuh!* murmure Alexandre. Je n'ai pas hâte de servir les adultes!

M. Blanquette fixe une affiche au mur.

— Bon, quelle fourchette utilise-t-on pour piquer un cornichon?

Alexandre regarde l'illustration.

Je me sens comme un cornichon, assis dans cette pièce froide et métallique. C'est ça! L'école a été transformée en un gros... frigo!

7 À VOS MARQUES! PRÊTS? SPLATCH!

Alexandre passe le reste de la matinée à essayer de convaincre ses amis que des monstres ont changé leur école en réfrigérateur.

— Regardez! s'écrie-t-il en entrant dans la cafétéria. Les monstres ont encore changé le menu!

MENU
Jeudi :
Tarte!
Mangez à volonté!
(et plus encore.)

caramel

chocolat

citron

bananes

bleuets

framboises

cerises

— Des tartes? s'exclame Alexandre en haussant un sourcil. Pourquoi une école servirait-elle uniquement des tartes?

Ses amis se regardent, puis se tournent vers le comptoir.

— Écoute, Salamandre, commence Ric. L'école a sûrement notre intérêt à cœur.

— Oui, renchérit Nikki en se servant une grosse part de tarte aux framboises.

Alexandre soupire. Une fois de plus, il se dirige vers une table avec son repas, puis attend ses amis. Il regarde autour de lui. Tout le monde s'empiffre de tarte.

Il ouvre sa boîte-repas.

Sous le message de son père se trouve un pita aux légumes. Il prend une bouchée pendant que Ric et Nikki déposent leurs plateaux.

— Regardez mes bonnes manières! lance Ric en prenant délicatement une bouchée de sa tarte aux bleuets.

— Des bonnes manières! *Peuh!* rétorque Nikki.

Elle s'attaque à sa tarte. Son assiette ressemble à une scène de crime.

— Tu veux goûter, Salamandre? propose Ric.

Il pousse son assiette vers Alexandre.

Ce dernier frappe du poing sur la table.

— NON! Il y a quelque chose qui cloche ici! Les repas de cafétéria devraient être bons pour la *santé!* De la tarte et de la crème glacée pour dîner, c'est trop... bizarre! Vous devriez vous méfier de ces tartes! dit Alex en s'adressant à tous les élèves.

Des visages maculés de garniture de tarte lui font face. Ric agite les bras.

— Désolé, Ric, dit Alexandre. Tu ne peux pas m'arrêter. Même si personne ne me croit, je ne te laisserai pas manger ça! Cette tarte s'en va à la poubelle!

Il prend le morceau de tarte de Ric, se tourne et le lance... en plein dans le visage de Mme Vanderrière.

SPLAAAATCH!

Le silence s'abat sur la salle. Des bleuets dégoulinent sur le manteau de la directrice.

Tout le monde entend ce qu'elle dit ensuite, même si elle chuchote :

— Alexandre Moreau... dans mon bureau après l'école.

Elle sort d'un pas furieux, le visage violet de rage... à moins que ce ne soit à cause des bleuets écrasés.

8 LA GRANDE NOIRCEUR

Ric secoue la main d'Alexandre en se rendant au gymnase.

— Salamandre, tu es mon héros! Une tarte!? Dans la figure de Vanderrière?!

— C'était un accident! proteste Alexandre en retirant sa main. Et je vais être puni!

— Qu'est-ce qu'elle va te faire? demande Nikki.

— Je ne sais pas, mais sûrement rien de bon, répond-il en secouant la tête.

Les trois amis entrent dans le gymnase, qui est l'ancienne buanderie de l'hôpital.

— J'ai hâte que la nouvelle école soit enfin terminée, dit Ric. Imaginez des cours d'éducation physique dans un vrai gymnase, au lieu de *cette* salle minable!

M. Horace est debout près d'une sécheuse et essaie de démêler le cordon de son sifflet.

— Hum, chers élèves, comme il fait trop froid, pas besoin de mettre votre tenue de gym aujourd'hui.

— Est-ce qu'on peut jouer au ballon-chasseur? demande Ric.

— Pas question! dit l'enseignant. C'est dangereux de lancer des ballons à vos camarades. Choisissons un jeu plus sécuritaire, comme la tague.

Nikki détache un glaçon d'un tuyau.

— Il veut sûrement dire la tague gelée, marmonne-t-elle.

M. Horace consulte sa planchette.

— Alors, quand je donnerai un coup de sifflet... jouez.

TRÎÎÎÎÎ

Les élèves se mettent à courir. Mais personne n'est le chasseur. Ils tournent en rond jusqu'à ce que...

CLONK!

Les lumières s'éteignent. La pièce est plongée dans le noir. Les élèves foncent les uns dans les autres.

— Tu peux voir dans le noir, Nikki, n'est-ce pas? ajoute Ric.

— Oui! crie-t-elle. Suivez ma voix!

VOUM!

Quelque chose passe en sifflant près de la tête d'Alexandre.

— Qu'est-ce que c'était?

— On dirait une sorte de... ballon de volleyball, répond Nikki. Attention! Il y en a d'autres!

Alexandre entend d'autres ballons passer en sifflant.

— Du ballon-chasseur dans le noir? s'exclame Ric. C'est génial!

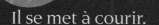

Il se met à courir.

PAF! Un des ballons frappe une élève.

— Dégueu! s'écrie-t-elle. Ce ballon est mou et gluant!

— Salamandre! Saute à gauche! crie Nikki. Puis à droite!

Il suit ses conseils.

— Maintenant, attrape! ajoute-t-elle.

— Quoi?

Alexandre écarte les bras et... **FLOMP!** attrape un des ballons. C'est plus lourd qu'un ballon de volleyball. Et visqueux. Et... grouillant!

Il le pose par terre, sent le ballon rouler sur son pied et crie :

— Ils sont vivants!

— Baisse-toi! crie

Nikki, je vais trouver l'interrupteur!

Il se laisse tomber sur le sol et entend des dizaines de ballons passer au-dessus de sa tête.

BOUM! VLAN! SPLATCH!

CLIC! Les lumières s'allument. Il n'y aucune trace des ballons.

— *Fiou!* lance M. Horace en sortant la tête de la sécheuse.

Tous les élèves sont par terre, sauf un.

Ric avance d'un pas chancelant, couvert d'une substance verdâtre et visqueuse.

Puis il s'écroule sur le sol.

CHAPITRE 9 LA NOUVELLE INFIRMIÈRE

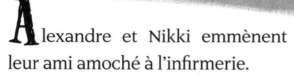

lexandre et Nikki emmènent leur ami amoché à l'infirmerie.

C'est une grande pièce où un faux squelette est suspendu près de la porte. Du moins, Alexandre espère qu'il s'agit d'un faux.

— Il y a un avantage à aller à l'école dans un ancien hôpital, commente Nikki. Au moins, il y a une excellente infirmerie.

Alexandre voit des photos de cerveaux sur le mur.

— On dirait qu'il s'agit d'une ancienne salle de neurochirurgie.

DING! Nikki appuie sur la sonnette.

— *Ouille!* dit Ric en levant la tête. Pourquoi Horace n'est-il pas venu avec nous? C'est lui, l'infirmier, non?

— Tu as raison! répond Alexandre.

— Il ne peut pas être partout en même temps, réplique Nikki en examinant les ecchymoses de Ric. Quelle sorte de ballons nous ont donc attaqués?

Alexandre sort son carnet.

— Il y a un monstre en forme de ballon là-dedans...

Clignotant

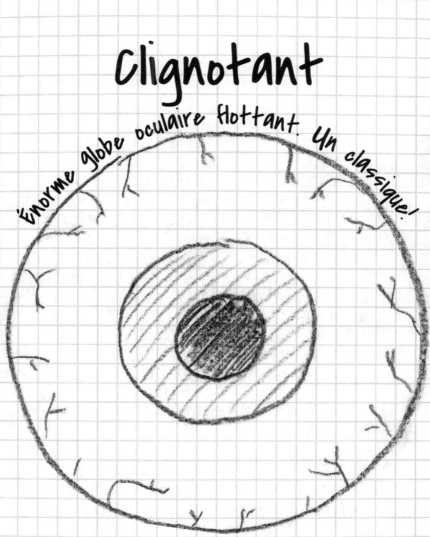

Énorme globe oculaire flottant. Un classique!

> HABITAT > Endroits aux surfaces brillantes : bijouteries, lave-autos, salles de bain propres...

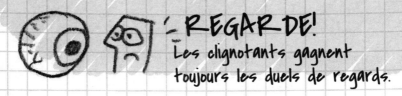

REGARDE!

Les clignotants gagnent toujours les duels de regards.

ALIMENTATION Ils se nourrissent de lumière et de couleurs.

COMPOR-TEMENT Les clignotants adorent les émissions de télé médiocres. Surtout les jeux télévisés.

ATTENTION! Ne le regarde jamais dans l'œil! Le regard d'un clignotant peut t'hypnotiser. Tu ne pourras pas t'empêcher de regarder un film ennuyant que tu as déjà vu 40 fois.

Alexandre lit la page à haute voix, puis se tourne vers Nikki :

— Les ballons auraient-ils pu être des clignotants?

— Mais non, répond-elle. Ils étaient verts et...

— Oh! dit une voix au timbre agréable. Est-ce que quelqu'un est malade?

Une grande femme entre dans la pièce. Un filet couvre sa coiffure bouffante et un masque chirurgical lui cache la figure. Sur son insigne, on peut lire : INFIRMIÈRE BROC.

— Notre ami Ric a été bombardé par des... euh, ballons chasseurs.

— Oh là là! dit l'infirmière en se penchant pour l'examiner. Dis-moi où ça fait mal. Est-ce sensible ici?

Elle enfonce un doigt dans ses côtes.

— *Aïe!* Oui! dit Ric.

— *Hum,* dit-elle avant de se tourner vers Alexandre et Nikki. Vous pouvez retourner en classe. Je vais m'occuper de ce petit porcelet.

Pendant qu'elle a le dos tourné, Nikki chuchote aux deux garçons :

— Retrouvons-nous au quartier général de la P.S.A.M. après l'école. J'ai vu quelque chose dans le gymnase dont je veux vous parler.

— D'accord, dit Alexandre. Mais je serai peut-être en retard. J'ai, heu, rendez-vous avec la directrice.

— Amuse-toi bien, dit Ric entre deux gémissements. On se verra plus tard à la P.S.A.M.

10 À GLACER LE SANG

Alexandre se tortille sur sa chaise pendant tout le reste de l'après-midi. Puis il prend l'ascenseur afin de se rendre à l'étage le plus froid du vieil hôpital : le dernier sous-sol.

Il arrive devant une porte indiquant « SALLE DE CHAUFFAGE ET DE RÉFRIGÉRATION ». Un autre écriteau porte les mots « BUREAUDELADIRECTION ».

Il prend une grande inspiration et frappe.

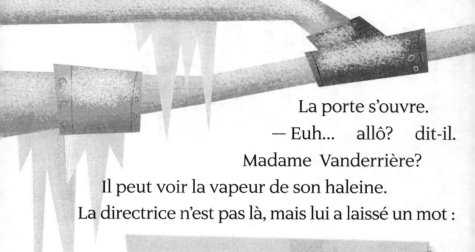

La porte s'ouvre.

— Euh... allô? dit-il. Madame Vanderrière?

Il peut voir la vapeur de son haleine.

La directrice n'est pas là, mais lui a laissé un mot :

Alexandre Moreau,
Attends-moi. Je reviens bientôt.

Mme Vanderrière

Alex regarde autour de lui. Des tuyaux se croisent au-dessus de sa tête. Ils proviennent d'une énorme machine dans un coin, qui frémit et émet un bourdonnement. Elle est couverte de givre.

Le climatiseur, se dit Alexandre. Puis il cligne des yeux. Quelque chose de violet et luisant, comme une feuille de papier d'emballage, s'agite à l'intérieur de la machine.

TEMPÉRATURE

Petits pois

Mme Vanderrière
directrice

Alexandre
s'accroupit
et ouvre
la grille.
La chose
violette
s'envole et tombe dans
ses mains.

Hum... On dirait... une pelure d'oignon géante! Il la renifle et ses yeux s'emplissent de larmes. *Voilà ce qui faisait pleurer tout le monde! J'avais raison!*

Il remarque également un cadran sur le côté de l'appareil.

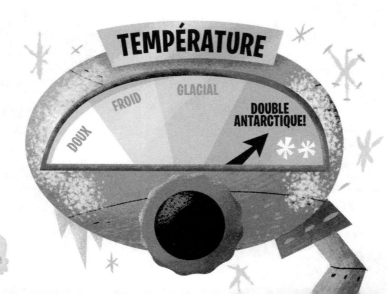

TEMPÉRATURE

DOUX   FROID   GLACIAL   DOUBLE ANTARCTIQUE!

Le climatiseur n'était pas brisé! Quelqu'un a réglé la température sur DOUBLE ANTARCTIQUE! Il remet le curseur sur la position « doux ». L'énorme machine frémit, puis devient silencieuse.

— Bonjour, Alexandre.

CONK!

Le garçon sursaute et se frappe la tête sur un tuyau.

— Oh, bonjour, Madame Vanderrière, répond-il en glissant la pelure d'oignon dans sa poche.

Les vêtements de la directrice sont tachés de jus de bleuets. Elle dévisage Alexandre.

Il toussote et ajoute :

— Je, heu... je suis désolé de vous avoir lancé cette tarte.

— En fait, c'est moi qui devrais m'excuser de m'être placée sur ton chemin.

Alexandre se demande s'il s'est cogné la tête trop fort.

— C'est pour cette raison que je t'ai convoqué, poursuit-elle. Je suis heureuse de voir que tu as choisi un repas santé au lieu de la tarte. Alors, je te nomme chef de cuisine pour le souper au chili de demain.

Alexandre écarquille les yeux et s'exclame :

— Mais je ne sais pas cuisiner!

— Ha! Mais M. Horace va t'aider, réplique-t-elle. Tu peux partir.

Elle se met à feuilleter des papiers.

Le garçon se dirige vers la porte en espérant qu'elle ne remarquera pas le bruissement de la pelure d'oignon dans sa poche.

11 CAROTTE CARNIVORE

Alexandre court dans les bois derrière sa maison. Il a hâte de parler à ses amis de sa rencontre avec Mme Vanderrière et de la pelure d'oignon. Le quartier général de la P.S.A.M., un ancien wagon, est dissimulé dans les bois. Nikki y est déjà et trace des traits par terre avec un bout de bois.

— Où est Ric?
demande Alexandre.

— Il n'est pas encore
arrivé. J'espère qu'il va bien.

— L'infirmière Broc l'a
probablement renvoyé chez lui.

— Alors, comment ça s'est passé avec
Mme Vanderrière? demande Nikki.

— Tu ne le croiras jamais! Elle ne m'a pas puni.
En fait, elle m'a nommé chef de cuisine pour le
souper au chili!

— Ça alors! En parlant de chef, voilà ce que je
voulais te dire... J'ai vu qui a éteint les lumières dans
le gymnase. C'était le nouveau chef. Celui qui a
changé le menu.

Alexandre fronce les sourcils.

— *Hum.* J'ai trouvé un truc étrange, moi aussi,
dit-il en sortant la pelure d'oignon. C'était dans
le climatiseur. Et la température était réglée sur
DOUBLE ANTARCTIQUE!

Nikki trace une ligne sur le sol.

— Dressons une liste de ce qu'on a appris jusqu'ici.

- CHEF BIZARRE
- DESSERT POUR DÎNER
- ÉCOLE FROIDE
- OIGNON GÉANT
- BALLONS VERTS VOLANTS

Alexandre regarde la liste. Nikki a dessiné trois cercles.

Il s'exclame en les voyant :

— Nikki! C'est ça! Passe-moi ton bâton!

Il dessine deux lignes courbes autour des cercles.

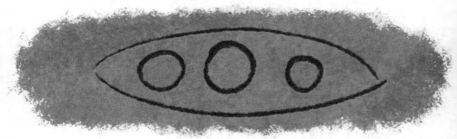

— Ces ballons étaient des *pois!* Des petits pois géants! Et un oignon avec une pelure de cette taille devait être ÉNORME!

Son amie plisse les yeux.

— Tu crois qu'on se bat contre des monstres *légumes?*

— Oui! Des monstres légumes qui ont baissé la température de l'école pour en faire un tiroir à légumes géant! Comme dans un frigo!

Il se frappe le front et ajoute :

— Tu te souviens du réparateur de climatiseur? C'était sûrement un *oignon!* Il a dû laisser *sa* pelure dans l'appareil!

Nikki hoche la tête.

— Ça expliquerait tout... sauf les repas bizarres. Pourquoi mettrait-on de la crème glacée au menu?

— Pour vous engraisser! grogne une voix.

Les deux amis sursautent.

Le nouveau chef cuisinier s'avance vers eux et arrache son chapeau. Des feuilles vertes en jaillissent.

— Vous êtes une carotte? demande Alexandre.

— Oui, répond la carotte. Et j'ai faim! Nous avons l'intention de manger tout le monde lors du festin de demain! Mais votre petit copain m'a dit que vous alliez essayer de nous en empêcher... alors j'ai décidé de m'offrir une petite collation à l'avance!

Le monstre avance en montrant ses dents pointues.

Alexandre lui lance son bâton.

La carotte éclate de rire.

— Tu ne peux pas me blesser avec un bâton! Nous ne ressentons pas de douleur, car nous sommes des légumes!

Soudain, la carotte se fige. Elle se met à trembler.

SHISSH-SHISSH...

NOOOONNN!!

Un lapin blanc sort d'un bosquet. Il hume l'air, puis sautille en direction de la carotte.

La carotte s'enfuit. Alexandre entraîne Nikki chez lui.

— *Fiou!* dit Alex en haletant. On a de la chance que ce lapin soit arrivé!

— Oui, répond Nikki. Mais on dirait que les légumes ont capturé Ric. Que va-t-on faire?

— Je vais consulter le carnet pour trouver des monstres légumes. On dressera un plan demain matin. Ric compte sur nous.

— Bonjour, les enfants! lance son père en entrant dans la cuisine. Demain, c'est le grand soir! Prêts à nourrir des bouches affamées?

Alexandre avale sa salive sans rien dire.

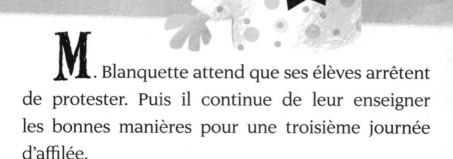

CHAPITRE 12 BONNES MANIÈRES

M. Blanquette attend que ses élèves arrêtent de protester. Puis il continue de leur enseigner les bonnes manières pour une troisième journée d'affilée.

— Sortez vos serviettes et pliez-les! Le souper au chili a lieu *ce soir!*

Alexandre et Nikki sont à l'arrière de la classe et regardent le siège vide de Ric.

— Penses-tu que les légumes l'ont mangé? chuchote Nikki.

LA SERVIETTE SOUS TOUTES SES FACETTES!

— Non! répond Alexandre. Du moins, pas encore. La carotte a dit qu'ils nous mangeraient *ce soir!* Allons voir l'infirmière. Elle était la dernière à...

— Hum, hum! fait M. Blanquette, debout devant le pupitre d'Alexandre. Qu'y a-t-il de plus important que le pliage de serviette?

— Euh... Eh bien, l'infirmière Broc...

— Qui? demande l'enseignant.

— L'infirmière Broc. Hier, elle a...

— Il n'y a pas d'infirmière Broc, ici, déclare M. Blanquette. M. Horace est le seul infirmier de l'école et...

VOTRE ATTENTION!

La voix de Mme Vanderrière retentit soudain dans les haut-parleurs.

— Chef Moreau, rendez-vous dans l'entrée. C'est l'heure de préparer le souper au chili!

— Euh, c'est moi, dit Alexandre.

M. Blanquette hausse les sourcils.

— Chef Moreau?! N'oublie pas tes bonnes manières! Je compte sur toi!

Alexandre prend son sac à dos.

—Hé, Nikki! chuchote-t-il. Essaie de trouver Ric!

Elle hoche la tête.

— Tu sais, je pense que je m'ennuie de ce gars.

CHAPITRE 13
LA NOUVELLE ÉCOLE

En se rendant à la nouvelle école, Alexandre et la directrice passent devant un panneau de signalisation qui a été écrasé sur le trottoir.

— Incroyable, dit Mme Vanderrière. Qui a pu faire une chose pareille?

Les monstres légumes! pense Alexandre. Le panneau aplati lui rappelle la planche à roulettes abîmée de Ric. *Ça devait être un gros monstre!*

Ils parviennent bientôt au chantier de construction. Alexandre se dit que la nouvelle école (du moins, la partie complétée) tient autant d'un château que d'un vaisseau spatial.

— Quelle est cette pièce vitrée au sommet de l'immeuble? demande-t-il.

— C'est notre serre, répond Mme Vanderrière. C'est la seule partie qui est terminée. Nous y cultiverons des aliments pour les repas de la cafétéria, et nous aurons aussi un laboratoire végétal pour... faire des tests importants.

— Oh, dit Alexandre.

BIENTÔT
Votre nouvelle école!

CUISINE

M. Horace sort son long cou d'une tente proche d'eux.

— Commençons, Alexandre!

Le garçon et lui installent la cuisine dans la tente.

— Monsieur Horace, le temps *presse!* Ric a été kidnappé par des légu...

— Holà! Tu as raison, l'interrompt l'enseignant en lui donnant une pile de serviettes. Le temps presse! Ces serviettes ne se plieront pas toutes seules!

M. Horace semble être le seul adulte de Clermont qui peut voir les monstres. Mais il refuse d'en parler.

— Bon, poursuit-il. Nous avons une table pour découper et une grosse marmite pour le chili. Il ne manque que...

Il lâche sa louche.

— Quoi? demande Alexandre.

— La *nourriture!* répond l'homme en ouvrant une armoire, révélant des centaines de petits gâteaux. Je ne comprends pas! Les ingrédients du repas ne sont pas là! Il n'y a que du dessert!

Alexandre regarde à l'extérieur de la tente.

— Les parents commencent à arriver, dit-il. La directrice se dirige vers la scène!

— Oh, *non!* s'écrie M. Horace.

Alexandre sort de la tente. Ses camarades sont en train de mettre le couvert.

Les parents se mettent soudain à applaudir.

Mme Vanderrière est montée sur la scène.

— Bienvenue à tous! Les sommes que vous avez versées pour ce repas au chili nous permettront de quitter l'ancien hôpital et de nous installer dans notre nouvelle école! La nouvelle école primaire

de Clermont sera cent pour cent écologique! Nous cultiverons nos aliments dans la serre et utiliserons l'énergie éolienne pour alimenter l'école en électricité!

Un grand
rideau tombe derrière
elle, révélant une énorme
éolienne. Alexandre voit son père prendre
une photo. Puis il aperçoit autre chose.
Il tapote le bras de Nikki et désigne
l'éolienne.

— Oui, je sais, dit-elle. Ses pales sont
gigantesques!

— Non, Nikki. Regarde qui est *derrière*
l'éolienne!

C'est l'infirmière Broc, qui fait rouler
une énorme citrouille.

14 CITROUILLE PRISON

Alexandre s'écrie :

— L'infirmière Broc est un monstre légume?

— Je parie qu'elle a kidnappé Ric! réplique Nikki. Suivons-la!

Ils entrent dans la tente-cuisine, où M. Horace pique une crise de nerfs.

— Chef Moreau! Nous sommes *fichuuuus!* Impossible d'avoir un souper au chili sans chili!

— Désolé, M. Horace, nous avons d'autres chats à fouetter. Je veux dire, d'autres légumes à hacher.

Alexandre prend un épluche-légumes et tend un presse-purée à Nikki. Ils sortent par l'arrière de la tente.

— Où est passée l'infirmière? demande Alexandre.

Nikki s'accroupit près d'empreintes étranges dans la terre.

— Regarde! Des empreintes de citrouille!

Elles mènent à un escalier de métal qui conduit à la serre.

— Viens! lance Alexandre. Il faut trouver Ric!

Les deux amis gravissent l'escalier sur la pointe des pieds. À l'intérieur de la serre, il fait chaud et humide comme dans une jungle.

Ils se cachent derrière un arbuste et regardent aux alentours. Nikki donne un coup de coude à Alexandre.

— Je vois la citrouille!
Ils se faufilent parmi les plantes, jusqu'au centre de la serre. La citrouille a été découpée comme pour l'Halloween, mais à la place d'un visage, il y a une fenêtre grillagée. Un enfant aux cheveux hérissés se trouve à l'intérieur.

— Ric! s'écrie Alexandre en s'approchant. Tiens bon! On va te sortir de là!

Ric secoue la tête.

— Hein! Vraiment? Vous ne voyez pas que c'est un piège?

Nikki arrête de tirer sur les barreaux.

— Que veux-tu dire? demande Alexandre. **OUMPF!**

Un boulet vert visqueux le percute dans le dos. En fait, ce n'est pas un boulet. C'est un petit pois géant.

L'infirmière Broc apparaît avec une énorme cosse de pois verts. Elle arrache son filet, révélant qu'elle est en fait un brocoli vivant. Elle claque des doigts et une douzaine d'autres légumes surgissent à leur tour.

— Depuis les débuts de l'humanité, déclare le brocoli, nous avons été tranchés, hachés, marinés, et pire que tout, nous avons nourri vos hamsters!

Les autres légumes grondent en chœur.

— Mais ce soir, c'est nous qui allons vous manger! Nous allons dévorer les adultes qui ont forcé les enfants à nous manger au nom de la santé! Nous allons avaler les enfants qui nous ont utilisés comme nez pour leurs bonshommes de neige! Et nous allons vous manger tous les trois, dès maintenant, pour avoir tenté de nous en empêcher!

Une énorme pomme de terre fixe ses vingt yeux sur Alexandre.

— MAIS AVANT, JE VAIS TE RÉDUIRE EN PURÉE JUSQU'À CE QUE TU SOIS MOU ET TENDRE!

— Une minute! dit Alexandre. C'est *toi* qui as écrasé ce panneau de signalisation!

— Et ma planche à roulettes! renchérit Ric, avant de se tourner vers ses amis. J'aurais dû t'écouter, Salamandre. Ces légumes sont coriaces. RIEN ne les effraie.

— C'est vrai, grommelle la carotte.

Alexandre regarde la carotte, puis Nikki.

— Penses-tu à la même chose que moi?

— Bien sûr! s'écrie-t-elle.

Alexandre laisse tomber l'épluche-légumes derrière les barreaux et chuchote à Ric :

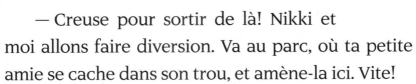

— Creuse pour sortir de là! Nikki et moi allons faire diversion. Va au parc, où ta petite amie se cache dans son trou, et amène-la ici. Vite!

Ric commence à creuser dans la citrouille.

Ses deux amis se mettent à courir, poursuivis par une multitude de légumes en colère.

CHAPITRE 15 VERTS DE PEUR

Pendant que ses amis courent dans la serre, Ric s'enfuit du chantier de construction.

— Cachons-nous ici! crie Alexandre à Nikki.

Ils se glissent parmi d'énormes tournesols et tentent de reprendre leur souffle.

— **BOUH!** crie le brocoli en avançant la tête dans leur cachette.

Les deux enfants sortent en s'égratignant les bras.

— Pourquoi ces monstres ne sont-ils pas fatigués? dit Alexandre entre deux halètements. J'espère que Ric va bientôt revenir!

La serre est un véritable labyrinthe. Ils se retrouvent près d'un balcon qui surplombe le terrain où sont disposées les tables du souper.

— Ils nous ont coincés, dit Nikki en brandissant son presse-purée.

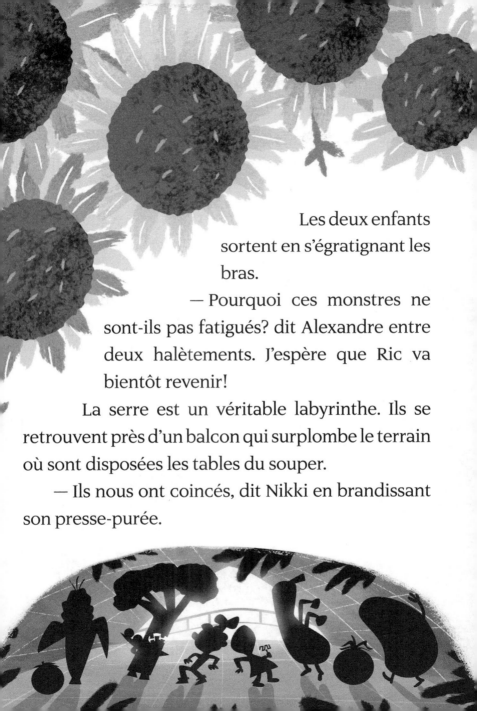

Les monstres légumes les encerclent.

— Après vous avoir engraissés avec de la tarte et de la crème glacée, nous pouvons enfin vous manger! déclare le brocoli.

— Plus de coupes glacées pour moi! crie Nikki, menacée par une courge courroucée.

Un épi de maïs se presse contre Alexandre, prêt à le croquer.

— Un instant, minus! s'écrie Ric en s'interposant entre eux, un petit objet rouge à la main.

— Un radis *ordinaire?* grogne l'épi de maïs. C'est censé nous faire peur?

— Non, répond Ric. Mais je crois qu'elle vous fera peur.

Il laisse tomber le radis par terre. Les monstres légumes baissent les yeux et voient une longue traînée de radis.

Un instant plus tard, Clara de Clermont apparaît. Elle se met aussitôt à grignoter un radis.

Les monstres légumes s'enfuient en hurlant.

Une marmotte!

Ric et Nikki se font bousculer dans un trou boueux, tandis qu'Alexandre se retrouve dehors, sur le balcon. Il regarde par-dessus la rambarde. Il voit les lumières de la fête et les adultes qui contemplent leurs bols vides. Puis — FIOU! — il sent la brise provenant de l'éolienne.

— Salamandre! crie Ric.

Alexandre regarde dans la serre. Clara fait une sieste! Les légumes s'approchent de ses amis, enfouis dans la boue.

— Hé, les légumes! crie-t-il du balcon. Vous avez déjà coincé mes amis. Je parie que vous ne pouvez pas m'attraper!

Un concombre se tourne vers lui.

— Allons-y, les gars! ATTRAPONS-LE!

Les légumes se précipitent sur le balcon et font un grand bond vers Alexandre. Ce dernier recule d'un pas et... **WOUP!** glisse sur un petit pois géant.

Il s'étale de tout son long sur le balcon. Puis il voit les légumes passer par-dessus la rambarde, tout droit dans les pales de l'éolienne.

CHAPITRE 16 BON APPÉTIT!

En voyant Alexandre, M. Moreau s'exclame :

— Te voilà, Alex! Je t'ai cherché toute la soirée!

Il prend une bouchée de chili.

— Miam! C'est le meilleur chili végétarien que j'aie jamais mangé! Quels sont les ingrédients?

— Un chef ne révèle jamais ses recettes! répond son fils en souriant, avant de se diriger vers la tente-cuisine.

— Monsieur Horace! Les monstres légumes...

— Chut! Je ne veux pas entendre le mot en
« M ». Je pensais que le souper serait gâché, mais des
légumes hachés sont tombés du ciel. J'en ai attrapé
assez pour nourrir tout le monde.

— Ces légumes...

— Non! Je ne veux pas le savoir!

— Bon, bon, dit Alexandre. Avez-vous vu Ric et
Nikki?

— Oui, dit M. Horace. Je les ai envoyés se laver. Ils
étaient couverts de boue.

Alexandre retrouve ses amis devant l'évier.

— La P.S.A.M. a déjoué un autre complot monstrueux! dit Nikki.

— Oui, renchérit Ric. Le meilleur moment était quand tu as tenu tête à cet épi!

— Voyons donc! réplique Alexandre en sortant son carnet. Je n'aurais jamais réussi sans vous!

LÉGUMES CARNIVORES

Groupe de monstres feuillus et croquants.

HABITAT Nouvelle serre étrange.

ALIMENTATION Élèves du primaire tendres et juteux.

OUAIS, OUAIS

Techniquement, le maïs et les tomates ne sont pas des légumes, mais nous les avons ajoutés quand même.

> COMPORTEMENT

Les légumes carnivores font semblant d'être des employés de l'école pour refroidir, attendrir (écraser!) et engraisser les élèves avant de... MIAM!

> ATTENTION!

Pour éviter que les légumes ne te passent à la moulinette, ramollis-les en les faisant cuire! Succès bœuf garanti!

Prends une douzaine de monstres légumes mélangés

* Prends une douzaine de monstres légumes mélangés
* Hache-les finement
* Réchauffe-les dans une casserole durant 20 minutes
* Miam!

TROY CUMMINGS

n'a ni ailes, ni crocs, ni griffes et seulement une tête. Dans sa jeunesse, il croyait que les monstres existaient peut-être. Aujourd'hui, il en est convaincu.

COMPORTEMENT Cette créature adore les jeux vidéo, mais ne réussit jamais à dépasser la grotte de feu (Monde 3, niveau 2).

HABITAT Il vit sur une colline près d'un ancien observatoire.

ALIMENTATION Crêpes aux bleuets avec du VRAI sirop d'érable. Pas question de manger du faux sirop!

PREUVES Peu de gens croient à son existence. La seule preuve est qu'il est censé avoir écrit et illustré _The Eensy Weensy Spider Freaks Out!_ et _Giddy-up Daddy!_

ATTENTION! Ouvre l'œil et le bon! D'autres monstres s'en viennent...